Llongau Gofod

Testun gan Stephen Attmore

Trosiad gan Cynthia Saunders Davies

Darluniau gan Tony Gibbons

DREF WEN

Mae'r codi'n digwydd! I fyny yr â'r roced. Chwiliwch am y llong ofod ar ei phen hi. Dim ond darn bach o'r roced yw hi. Mae tanciau enfawr yn llawn o danwydd odani. Mae'r llong ofod hon ar ei ffordd i'r Lleuad.

Sut mae roced ofod yn symud? Mae hi fel roced tân gwyllt. Mae tanwydd yn cael ei losgi y tu mewn iddi. Mae hyn yn creu nwyon poeth. Edrychwch ar y llif o nwyon poeth sy'n dianc o'r roced. Mae grym y nwyon yn gwthio'r roced yn ei blaen.

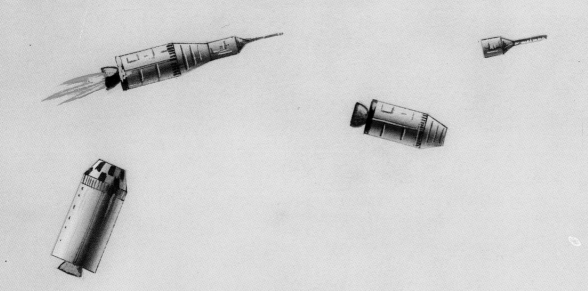

Mae gan y roced ofod hon dri chymal.
Pan fydd yr holl danwydd mewn cymal
wedi cael ei ddefnyddio mae'r cymal yn
syrthio i ffwrdd. Mae'r cymal nesaf yn
tanio. Yna gall y roced ofod fynd yn
gyflymach. Mae'n mynd yn uwch ac yn
uwch. Chwiliwch am y llong ofod.
Mae hi ar ei phen ei hun. Mae hi yn y
gofod yn awr.

Dyma Robert Goddard yn sefyll yn
ymyl y roced a adeiladodd yn America.
Hedfanodd am ddwy eiliad.
Cyrhaeddodd uchder o 13 llath.
Wel, roedd hynny'n record ym 1926!

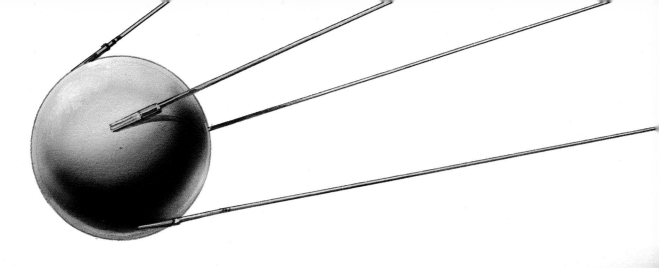

Ym 1957 gyrrodd y
Rwsiaid y peth
rhyfedd hwn i
gylchynu'r ddaear.
Wrth iddo wneud
hynny gyrrodd allan
signalau radio.
Blwyddyn yn
ddiweddarach
gyrrodd yr
Americaniaid loeren
i'r gofod. Dyma'r
roced cyn iddi godi.

Enw'r llong ofod Rwsiaidd hon yw Vostok I. Mae'r arlunydd wedi torri darn o'r llong ofod i ffwrdd. Edrychwch ar y peilot. Ef oedd y person cyntaf i fynd i'r gofod. Roedd y poteli crwn wedi cael eu llenwi ag aer. Roedd y peilot yn anadlu'r aer hwn.

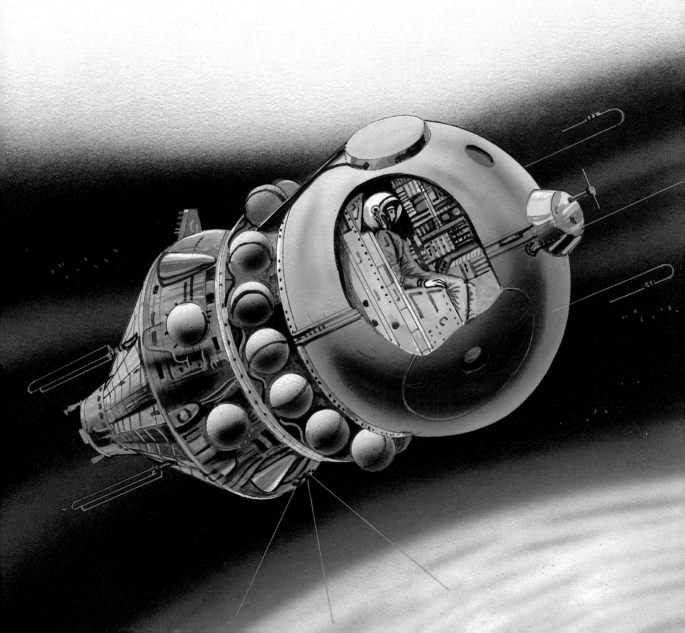

Y flwyddyn yw 1969. Mae'r llong ofod
Americanaidd hon yn cylchynu'r
Lleuad. Mae'r llong lanio yn mynd i
ddisgyn ar y Lleuad. Mae dau ddyn y tu
mewn iddi. Nhw yw'r ddau berson
cyntaf i ymweld â'r Lleuad.

Dyma orsaf ofod Rwsiaidd. Mae timau
o Rwsiaid yn cael eu cario iddi mewn
llongau gofod llai. Maen nhw'n aros yn
yr orsaf ofod am sawl diwrnod. Paneli
solar yw'r breichiau hir. Maen nhw'n
cymryd gwres o'r Haul ac yn ei droi'n
drydan.

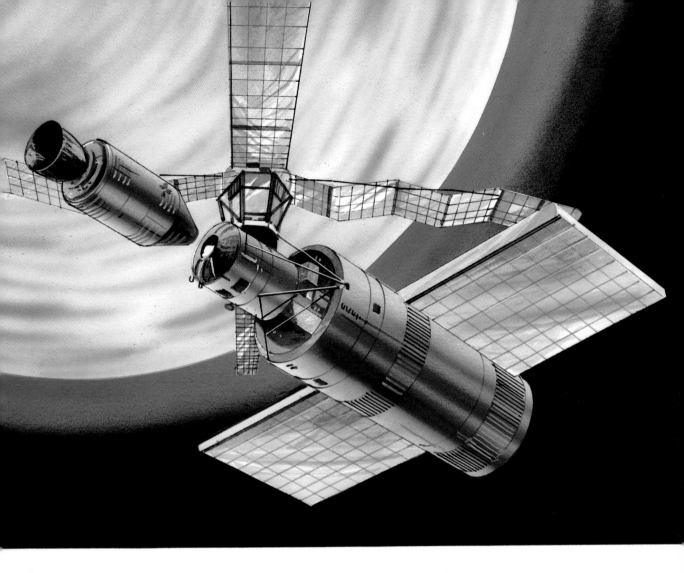

Skylab yw'r orsaf ofod Americanaidd
hon. Mae'r paneli solar fel breichiau
melin wynt. Edrychwch am y llong
ofod sydd ar fin cysylltu â Skylab.
Mae'r bobl y tu mewn i'r llong ofod
fach yn mynd i weithio yn yr orsaf
ofod.

Awyren ofod yw'r
wennol ofod. Mae'n
codi fel roced ond yn
disgyn ar redfa. Gall
y llong ofod
Americanaidd hon
fynd i fyny i'r gofod
sawl gwaith.

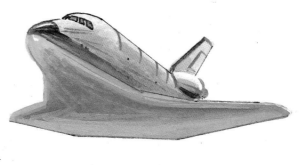

Edrychwch ar y
wennol ofod yn
gafael yn y lloeren.
Mae braich hir yn
estyn allan. Yna
mae'r lloeren yn cael
ei llwytho y tu mewn
i'r wennol ofod.

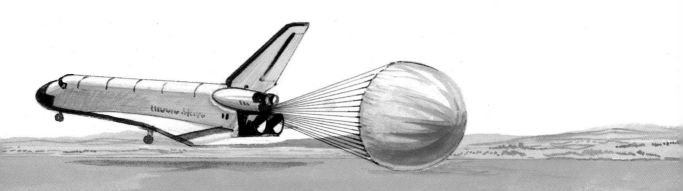

Edrychwch ar y capsiwl gofod hwn yn
syrthio yn ôl i'r Ddaear o'r gofod.
Mae'n mynd i mewn i atmosffer y
Ddaear unwaith eto. Mae'r capsiwl yn
teithio'n gyflym iawn. Mae'n mynd yn
boeth iawn. Mae ganddo darian
arbennig i'w amddiffyn rhag y gwres.

Mae'r capsiwl wedi disgyn yn y môr. Edrychwch ar du allan y capsiwl. Mae'r darian wres wedi cael ei niweidio. Mae'n plisgo i ffwrdd. Digwyddodd hyn wrth i'r capsiwl ddod i mewn i atmosffer y Ddaear unwaith eto.

Mae'r llong ofod Americanaidd hon yn bell iawn o'r Ddaear. Mae hi ar y blaned Mawrth. Edrychwch ar y tywod coch a'r awyr binc. Mae rhai planedau yn bell iawn i ffwrdd. Mae llongau gofod yn gorfod teithio am flynyddoedd cyn cyrraedd rhai ohonynt.

Mae'r llong ofod
Rwsiaidd hon yn
hwylio drwy'r aer
uwchben y blaned
Gwener.

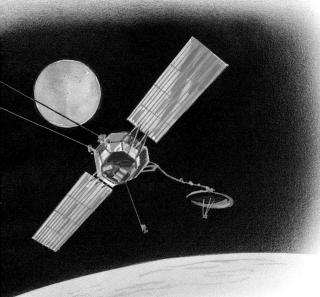

Mae'r llong ofod
Americanaidd hon
yn hedfan heibio
i'r blaned Mercher.
Mae'n edrych yn
debyg i'r Lleuad.

Dyma Voyager I
yn mynd heibio i
Sadwrn. Miliynau
o greigiau bach
wedi eu
gorchuddio â iâ
yw'r cylchoedd.

Beth fydd yn digwydd yn y dyfodol?
Efallai y bydd llongau gofod yn teithio
i'r sêr. Am eu bod nhw mor bell i
ffwrdd fe fydd angen roced bwerus iawn
arnom ni. Hwyrach y bydd hi'n edrych
fel hon.

Efallai y bydd pobl yn byw mewn llongau gofod mawr ryw ddydd. Edrychwch ar y llong ofod enfawr hon. Fuasech chi'n hoffi byw yn y gofod?

Yn y llyfr hwn rydych chi wedi darllen am longau gofod. Fedrwch chi enwi'r llongau gofod hyn? Beth maen nhw'n ei wneud?

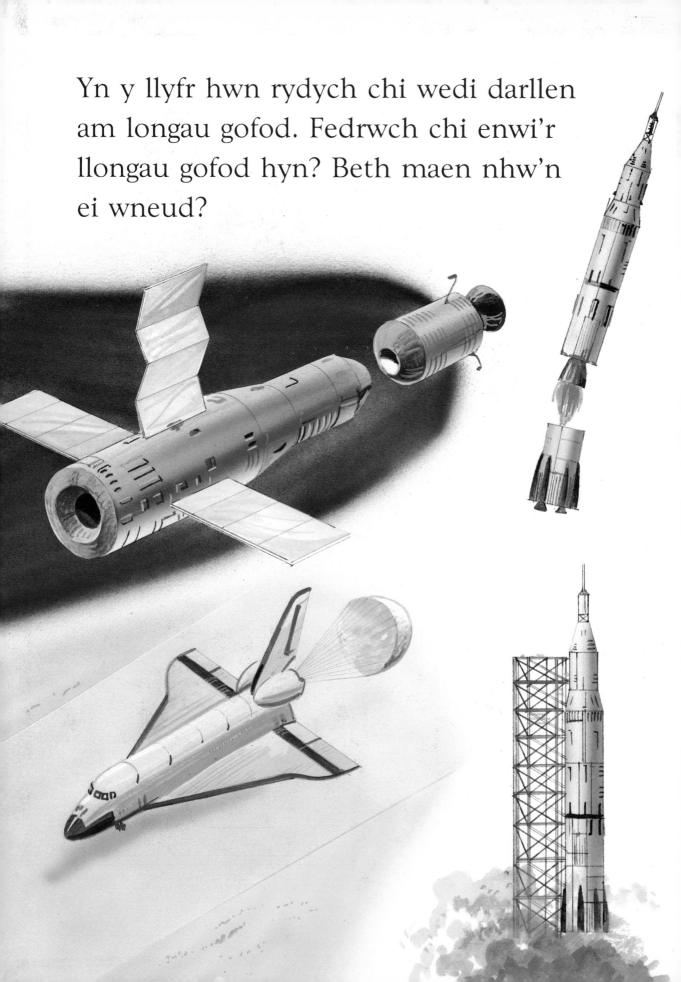